Angylion y Pasg

For Sam B.H.
For Matthew and Abbi T.J.

ANGYLION Y PASG

Bob Hartman
Addasiad Cymraeg Emily Huws
Darluniau gan Tim Jonke

CYHOEDDIADAU'R GAIR

 Eisteddai'r angel yn y tywyllwch yn aros. Dyma'r dasg fwyaf anghyffredin a gafodd erioed.

Hyd yn hyn, roedd pob tasg wedi bod yn ddigon syml – gofalu nad oedd plant yn syrthio i bydewau, helpu teithwyr ar goll i gael hyd i'w ffordd. Tasgau arferol angel gwarcheidiol.

Ond roedd y gwaith yma'n wahanol – llafn sydyn o oleuni i nodi'r lleoliad, a rhyw orchymyn od ar y naw yn dweud wrtho am aros i'w bartner gyrraedd. Partner? Doedd o 'rioed wedi cael partner o'r blaen. Felly methai'n glir â deall beth oedd peth fel hyn.

Yna, dyma'r angel yn gweld rhywbeth.

 Ymestynnodd yr haul un bys hir dros y gorwel ac, yn wir, dyna lle roedd rhywun yn dod tuag ato, yn bustachu drwy'r tywyllwch fel petai'n fôr du, trwchus. Hwn oedd ei bartner, tybed? Os felly, dyma'r angel mwyaf anghyffredin iddo'i weld erioed.

Dim cân. Dim goleuni. Dim sglein. Prin fod unrhyw awgrym o naws y nefoedd o'i gwmpas o gwbl. Yn hytrach, roedd o'n denau ac yn flinedig – rhyw lygoden fach lwyd o angel.

 Cododd yr angel cyntaf ei law i'w gyfarch.

"Helô," meddai. "Candriel ydi f'enw i. Pwy wyt ti?"

Eisteddodd yr ail angel yn ymyl ei bartner, ond bu'n dawel am ryw funud neu ddau cyn dweud dim byd. A phan siaradodd, rhyw sibrwd llygoden fach oedd o, yn union fel ei olwg.

"Shacath ydw i," meddai'n ddifrifol. "Angel Marwolaeth ydw i."

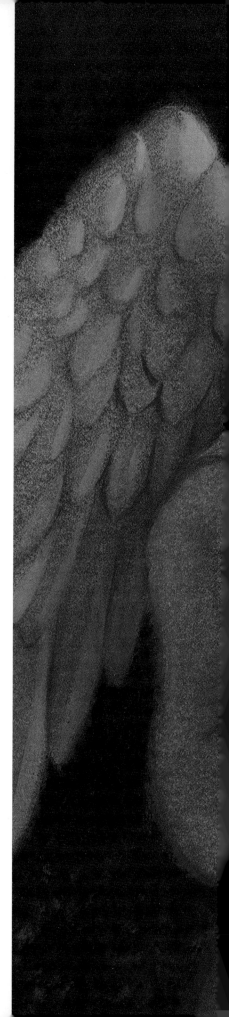

 Chwythodd awel y bore bach heibio i'r angylion, ond nid y gwynt a wnaeth i Candriel grynu. Roedd yntau, fel pawb arall, wedi clywed am yr angel hwn. Clywed sut y lladdodd o fab cyntaf-anedig y Pharo. Clywed sut roedd o, ar ei ben ei hun, wedi difa byddin o filwyr Syria mewn un noson yn unig. Ond wrth edrych arno yn awr, yn eistedd yno'n fach ac yn llwyd ac yn llonydd, roedd hi'n anodd credu hynny.

Ai hwn yn wir oedd Angel Marwolaeth? gofynnodd Candriel iddo'i hun. A sut fath o dasg fyddai hon?

 "Mae'n debyg dy fod ti wedi cael y gorchmyn?" holodd Candriel yn betrus.

Rhoddodd Shacath ei law esgyrnog ar ei boced. "Do," nodiodd. "Ond fe ddywedwyd wrtha i am beidio agor y sgrôl nes y gwelem ni ddwy wraig yn dod i fyny'r bryn. Cyfrinach neu rywbeth."

Partner. Arwydd. Cyfrinach, meddyliodd Candriel. Mae'r gwaith yma'n mynd yn rhyfeddach bob munud. Ond y cyfan feiddiodd o 'i ddweud oedd, "Be ydan ni i fod i'w wneud, tybed?"

Ysgydwodd yr Angel Marwolaeth ei ben. "O, dydi'n fawr o gamp gwybod hynny. Edrych o'th gwmpas."

Roedd golau llachar yr haul i'w weld dros y gorwel. Ac edrychodd Candriel.

Roedden nhw'n eistedd yng nghanol mynwent!

 "Marwolaeth eto," ochneidiodd Shacath. "Mae marwolaeth fel petai bob amser yn rhan o'r gwaith i mi. Felly dim ond synnwyr cyffredin ydi o i mi gymryd rhyw ran yn y gwaith yma hefyd – y farwolaeth dristaf ohonyn nhw i gyd."

Edrychodd Candriel unwaith eto. Roedd yr haul rhyw dipyn bach yn uwch erbyn hyn, a gwelai'r cyfan yn glir. Yr ardd fynwent. Y milwyr yn cysgu. Dinas Jerwsalem yn y pellter.

"Felly rwyt ti wedi dyfalu pwy sydd yn y bedd rydan ni'n eistedd arno?" holodd Shacath.

"Iesu," sibrydodd Candriel. "Iesu Grist, yntê?"

Chwyrnodd milwr yn ei gwsg. Chwibanodd aderyn yn y pellter. A nodiodd yr Angel Marwolaeth ei ben.

"Welais i o'n digwydd, wyddost ti," meddai Candriel cyn bo hir. "Roedden ni i gyd yn barod i ffrwydro drwy'r awyr yn un llu mawr, i godi'r groes yna o'i gwraidd i'w achub o. Ond roedd yn rhaid i'r arwydd ddod ganddo fo, medden nhw. A ddaeth yr arwydd ddim."

"Wnes i ddim edrych," cyfaddefodd Shacath. "Fedrwn i ddim. Roeddwn i wedi gweld digon o farwolaeth yn barod. Dwi'n siŵr fod ganddo reswm. Mae'n rhaid fod ganddo. Ond fedrai hynny hyd yn oed ddim lleddfu'r boen ofnadwy."

"Na fedrai," cytunodd Candriel. "Roedd o wedi dioddef yn ofnadwy. Fe wnaethon nhw bethau dychrynllyd iddo fo."

"Nid dyna ydw i'n feddwl," meddai Shacath. "Y mathau eraill o frifo sy'n dod efo marw ydw i'n feddwl. Ffarwelio efo dy ffrindiau, efo'r rhai rwyt ti'n eu caru. Maen nhw'n dweud fod hyd yn oed ei fam yno."

Roedd Candriel mewn penbleth.

 "Angel Gwarcheidiol wyt ti, yntê?" gofynnodd Dinistriwr. "Yn fawr ac yn gryf – y math sy'n achub?"

"Ie," meddai Candriel. "A dwi'n giamstar ar fy ngwaith."

"Wyt, dwi'n siŵr," meddai Angel Marwolaeth. "A dwi'n siŵr hefyd dy fod ti'n teimlo cryn dipyn o lawenydd a diolchgarwch gan y bobl rwyt ti'n eu hachub?"

"O ydw!" gwenodd Candriel.

"Wel, mae pethau'n wahanol os mai Angel Marwolaeth wyt ti. Meddwl am fyddin Syria, er enghraifft. Roedden nhw wedi amgylchynu Jerwsalem ac am ladd y bobl i gyd. A 'ngwaith i oedd eu rhwystro nhw."

"Rhaid bod hynny'n anodd," torrodd Candriel ar ei draws. "Lladd cymaint ohonyn nhw. A tithau mor fychan ac eiddil!"

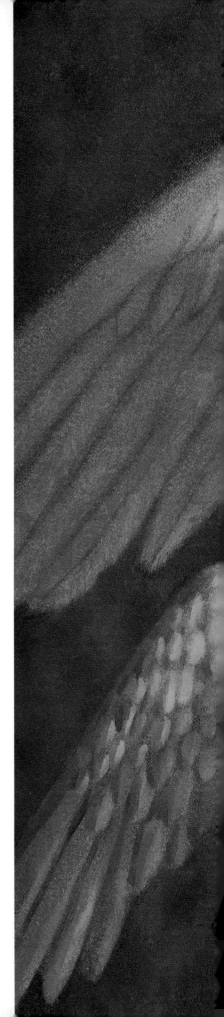

Ysgydwodd Shacath ei ben yn araf. "O, nac oedd," ochneidiodd. "Roedd yn hawdd iawn. Un anadliad yn eu hwynebau nhw. Dyna i gyd. Roedd eu llygaid nhw'n mynd yn bŵl mewn dim amser a'u calonnau nhw'n llonyddu.

"Y meddyliau oedd yn anodd – y miloedd ar filoedd o feddyliau ffarwelio trist:

Fy ngwraig ... wela i byth mohonot ti eto.

Addewais i y byddwn yn dod yn f'ôl, Mam. Mae'n ddrwg gen i.

Wela i mohonot ti'n tyfu ... fy mab. Bendith arnat ti.

"Colled. Dyna ydi marwolaeth. Dyna gofia i fwya am y noson honno. A dyna, dwi'n meddwl, fyddai wedi bod mor anodd i'r Iesu a'i ffrindiau."

Edrychodd Candriel ar ei bartner, a gweld tristwch. Tristwch, yn gragen fawr drwchus fel petai'n gwasgu ac yn sigo Shacath.

"Fyddai'n dda gen i ..." meddai Shacath, "fyddai'n dda gen i petawn i, am unwaith, yn cael gwaith lle byddwn i'n cofio, nid y tristwch a'r golled, ond y math o lawenydd a diolchgarwch rwyt ti wedi eu teimlo mor aml."

Wyddai Candriel ddim beth i'w ddweud. Ond angel gwarcheidiol oedd o, wedi'r cyfan. Felly o leiaf gwyddai beth i'w wneud. Lledodd un adain fawr euraid, lapiodd hi o amgylch yr Angel Marwolaeth, a swatiodd y ddau gyda'i gilydd, yn drist yng ngolau'r dydd newydd.

A dyna pryd y gwelodd Candriel y gwragedd.

"Dyna'r arwydd," meddai. "Mae'n bryd inni ddarllen y gorchmyn."

Aeth Shacath i'w boced ac estyn rholyn i'w bartner. "Darllen di o," meddai'n grynedig.

"Paid â phoeni," meddai Candriel gan gydio yn y sgrôl. "Mae'n debyg ein bod ni i fod i amddiffyn y gwragedd 'ma rhag y milwyr. Mi fydd popeth yn iawn. Gei di weld."

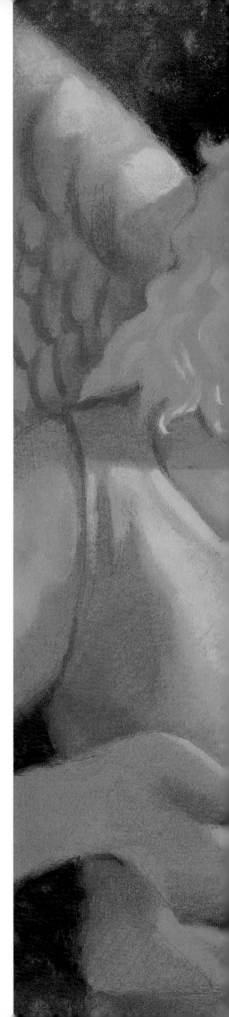

Yna, agorodd y sgrôl, a darllen yn uchel.

"Candriel, Angel Gwarcheidiol cryf, caredig. Roeddet ti mor awyddus i ryddhau fy mab oddi ar ei groes. Doedd hynny ddim o fewn dy allu. Ond yr hyn *fedri* di ei wneud yn awr ydi symud y garreg. Agor ei fedd a dangos i'r byd fod yr un fu farw ar y groes yn awr yn fyw – yn rhydd o farwolaeth, am byth bythoedd!

"Shacath, was ffyddlon, Angel Marwolaeth, mae angen rhywun i ddweud wrth y gwragedd yma fod yr un maen nhw'n gweld ei golli yn fyw. Pwy well i rannu'r newyddion hapus na'r un sy'n deall eu tristwch a'u colled yn well na neb arall?"

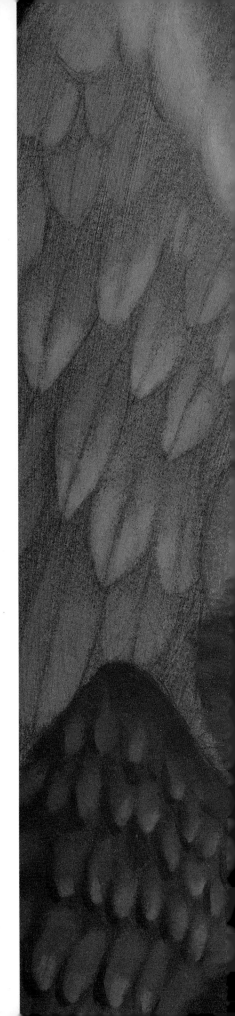

 Eiliad fuon nhw.
Gollyngodd Candriel y sgrôl,
neidiodd oddi ar y bedd, a
rholio'r garreg ymaith.
  Roedd Shacath wrth ei gwt, yn ei
ddilyn i lawr i'r bedd. Roedd yn wag.

 Roedd y bedd yn wag!
A dyna pryd y gwelodd
Candriel ei bartner yn newid.

Daeargryn oedd o, meddai'r milwyr. Fe welson nhw fflach mellten, medden nhw.

Ond gwyddai Candriel yn wahanol.

Sibrwd trist yn ffrwydro'n waedd o lawenydd oedd y sŵn a holltodd lonyddwch y bore. A chysgod llwyd, llym yn ffrwydro'n wyn llachar oedd y golau a syfrdanodd y milwyr.

"Dydi o ddim yma!" gwaeddodd Shacath ar y gwragedd. "Mae o wedi atgyfodi! Mae o'n fyw!"

A daeth Angel Marwolaeth yn Angel Bywyd, am byth bythoedd.

Ⓑ Cyhoeddiadau'r Gair, 1999

Testun gwreiddiol: Bob Hartman
Darluniau gan Tim Jonke
Addasiad Cymraeg gan Emily Huws

Dymuna'r cyhoeddwyr gydnabod cymorth
Adran Olygyddol Cyngor Llyfrau Cymru.
Golygydd Cyffredinol: Aled Davies
Cyhoeddwyd yn wreiddiol gan Lion Publishing plc.

ISBN 1 85994 185 0
Argraffwyd yn Singapore.

Cyhoeddwyd gan:
Cyhoeddiadau'r Gair, Cyngor Ysgolion Sul Cymru,
Ysgol Addysg, PCB, Safle'r Normal,
Bangor, Gwynedd, LL57 2PX.